Mareva & les chercheurs d'or

Eve-Lyne Monié

# Mareva
**&**
# les chercheurs d'or

Illustrée par Patrice Busata

AU VENT DES ÎLES
ÉDITIONS-TAHITI

# Papeete
## Paris **Cayenne**

Mareva soupirait. Assise dans le grand hall de l'aéroport de Faa'a, elle n'en pouvait plus d'attendre d'embarquer. À côté d'elle, son père restait impassible. Le temps ne semblait pas avoir de prise sur lui. Il pouvait rester immobile très longtemps. Mareva ne trouvait aucun intérêt à rester sans bouger. Elle aimait, au contraire, courir, escalader, danser... Elle laissait l'immobilité à la nuit, quand il fallait dormir. Mais là, Mareva devait attendre. Elle allait bientôt quitter Tahiti pour un voyage qui s'annonçait différent de tout ce qu'elle avait vécu jusqu'ici. Ça, elle en était sûre ! Mais le voyage serait sans doute aussi le plus long qu'elle ait jamais fait. Trois avions et trente heures de vol attendaient la jeune fille, de quoi ébranler le peu de patience qui lui restait ! En effet, Mareva était déjà parti plusieurs fois en France. Elle avait un peu l'habitude de ce long voyage, de Tahiti à Los Angeles, puis de Los Angeles à Paris, mais, cette fois, son périple n'allait pas se terminer dans la capitale française. Son voyage devait continuer jusqu'à l'aéroport de Rochambeau, au nord-est de l'Amérique du Sud, en Guyane française.

Pour tromper son ennui, en attendant de monter dans l'avion, Mareva observa les voyageurs qui venaient d'arriver de Paris. Les visages fatigués par les longues heures d'avion trouvaient tout de même la force de sourire devant l'accueil fleuri qui les attendait. Les colliers de *tiare* et d'orchidées étaient glissés autour du cou des arrivants par leur famille ou par les employés des hôtels pour les touristes encore tout pâles qui allaient bientôt griller sous le soleil polynésien. Elle jeta un coup d'œil sur les colliers de coquillages qui ornaient son cou et celui de son père, offerts par ses grands-parents et sa mère, comme le veut la tradition. Elle fit tinter les jolies coquilles en les frottant les unes contre les autres. Une main se posa sur son épaule, la tirant de ses rêveries. Son père s'était enfin levé pour embarquer dans l'appareil. La nuit était tombée depuis longtemps sur Tahiti et Mareva commençait à sentir la fatigue l'envahir. L'avion devait s'envoler à 23 h 30, un peu tard pour la jeune fille qui s'endormit dès le décollage.

Mareva dormit pendant les huit premières heures de vol. La pause, à Los Angeles, fut rapide. Ce n'était pas vraiment le moment de faire les boutiques. Le deuxième vol décolla à l'heure et la jeune fille profita de tout ce qui lui était offert. Mareva s'imagina en pique-nique sur un nuage au moment des plateaux-repas, puis elle partagea son temps entre les jeux vidéo, les dessins animés et les films en libre-service sur son écran personnel, incrusté dans le siège du passager devant elle. Une dernière petite sieste la laissa tout endormie à l'arrivée, à Paris. Elle suivit son père en bâillant. Mareva avait perdu toute notion du temps. Elle avait envie de dormir. Elle se retrouva dans le dernier avion qui se referma sur eux. Ils étaient les derniers passagers à embarquer pour la Guyane. Mareva senti à peine le décollage. Elle somnolait encore au moment du déjeuner et elle s'offrit, juste après avoir avalé la dernière bouchée, un long repos de plusieurs heures.

Mareva s'éveilla enfin. Elle était dans la toute dernière partie de son voyage. Elle s'étira. L'aventurière était à présent sûre d'être en forme à son arrivée en Guyane, vers 15 h 30, heure locale. Mareva n'avait jamais encore visité cette région. Son père s'était toujours refusé à l'emmener. Il était pourtant né là-bas. Mais il disait qu'elle était trop jeune, pas assez responsable… Elle avait dû se montrer particulièrement gentille et sage pour pouvoir l'accompagner cette fois !

Mareva regardait par le hublot. Les nuages, vus par-dessus, étaient si beaux ! Ils avaient du volume, des bosses, des creux, de grandes vagues, comme une mer immobile, alors qu'ils paraissaient si plats vus de la terre. L'océan brillait entre ces masses cotonneuses, loin en dessous. Bientôt, le scintillement du soleil sur la surface de l'eau agitée fut remplacé par le vert de la forêt amazonienne qui se rapprochait rapidement. Vue d'en haut, elle ressemblait à un gros bouquet de persil touffu et coloré de différents verts, tachetés de quelques bottes mauves ou jaunes.

Mareva était plutôt pressée d'arriver. Elle savait que son grand-père l'attendait à l'aéroport. Elle sentait le terme de son voyage arriver. Pour tromper l'impatience qui la gagnait peu à peu, Mareva se leva de son siège, en quête d'une boisson fraîche, ce qui la conduirait immanquablement à visiter les toilettes dans la foulée... Encore quelques minutes de perdues... Donc de gagnées !

Se rasseyant, Mareva jeta un coup d'œil à son père assis à côté d'elle. Il n'avait toujours pas bougé. Mareva se demanda même s'il s'était aperçu de son absence. Comme d'habitude, le grand homme était perdu dans ses dossiers. Il en oubliait même de manger tant ses recherches le captivaient !

Mareva n'avait pas les parents de tout le monde. Une maman économiste qui travaillait pour une ONG*, voyageant souvent dans des pays lointains afin d'élaborer des projets divers. Actuellement, Tania était à Madagascar, elle ratait donc le voyage en Amérique du Sud. Quant au père de Mareva, Tom, il était biologiste. Lui aussi passait son temps à voyager pour effectuer ses travaux. Aujourd'hui, c'est en Guyane que ses chères études l'attiraient. En renfort d'une équipe de scientifique de l'université de Jussieu, à Paris, Tom devait se rendre en forêt profonde afin de trouver des *Phylomedusa* bicolores. Ces grosses grenouilles un peu carrées vertes et beiges étaient, pour Tom, « *un enjeu majeur pour l'avenir de la pharmacopée moderne* ». Mareva avait retenu la phrase de son père sans vraiment en comprendre le sens. Mais, dits par ce dernier, les mots semblaient d'une réelle importance. Par téléphone, son grand-père lui avait expliqué que ces grenouilles possédaient la faculté de secréter sur leur peau des substances qui pouvaient être utilisées pour la fabrication de médicaments. Pour arriver à ce résultat, il fallait beaucoup de temps, de recherches et d'études, beaucoup plus de patience que Mareva n'en avait pour le moment. Dans les vivariums de son père, la jeune fille avait vu bon nombre de grenouilles, dont une qu'elle aimait particulièrement, toute jaune et bleue. La *Dendrobate*, renommée affectueusement « Dent de Rebate » par Mareva, était très séduisante, cependant elle avait l'interdiction d'y toucher. Cette grenouille cachait en effet sur sa peau colorée de multiples poisons extrêmement dangereux. Le métier de Tom avait eu de l'influence sur sa fille. Mareva portait sur tout ce qui l'entourait un regard éclairé. Elle ne voyait pas simplement une fleur ou un animal, mais leur rareté et tout ce qu'ils pouvaient renfermer.

Tom était immobile. Il restait plongé dans ses dossiers. Il avait toujours été passionné par son travail, mais cette fois il avait une raison supplémentaire de s'appliquer autant ! Le père de Mareva avait grandi en partageant son temps entre la Polynésie et la Guyane. Quand il était enfant, il passait tout son temps libre guyanais dans la forêt amazonienne. Il connaissait toutes les plantes et les animaux qui peuplaient les sous-bois. Tom disait souvent à sa fille que chaque chose était à sa place dans la forêt et que les visiteurs devaient garder en mémoire, pour que tout se passe bien, qu'ils n'étaient pas chez eux au cœur de la forêt. « *C'est valable pour toi !* » avait-il rajouté en direction de Mareva le jour où il lui avait annoncé qu'il l'emmenait avec lui pour son prochain voyage. Les moments que la jeune fille passait avec son père étaient rares, alors ils en profitaient chaque fois pleinement.

La contrepartie des absences répétées des parents de Mareva était les amis qu'ils s'étaient faits un peu partout dans le monde. Ajoutés aux membres de sa famille, métissée, disséminée aux quatre coins de la planète, Mareva avait l'impression d'avoir un toit qui l'attendait dans tous les pays… ou presque ! Ainsi, notre jeune aventurière avait la chance de partir à chaque période de vacances scolaires dans de lointaines contrées, et le plus souvent toute seule. Pour cette fois, son père l'accompagnait, mais seulement jusqu'à Cayenne. Ensuite, il la laisserait avec son grand-père pendant une semaine. Mareva était ravie. Elle était sûre de ne pas s'ennuyer. Elle se doutait que ce grand-père si dynamique lui réservait bien des surprises.

Mareva ne s'était pas trompée. Son grand-père avait déjà préparé les touques* et le bateau était déjà accroché à la voiture, prêt à partir. Le départ était programmé vers sept heures, le lendemain, en destination de la rivière.

Avant ce départ vers l'aventure, les trois générations s'apprêtaient à passer la soirée ensemble, sur Cayenne. Grand-père avait une soixantaine d'années. Grand sportif, il était en pleine forme. Même si sa barbe courte et ses cheveux étaient gris, ses yeux verts étaient brillants et vifs derrière ses fines lunettes à monture grise. Mareva aimait beaucoup son grand-père. Elle était ravie de le suivre vers l'inconnu.

Tout près de l'équateur* les jours et les nuits étaient d'égale longueur. Vers 18 h 30, le soleil se couchait en quelques minutes, laissant la place à un ciel brillant d'étoiles. Au petit matin, l'astre du jour réapparaissait aussi vite qu'il avait disparu, éclaboussant tout d'une lumière chaude. Alors, si les couchers du soleil étaient merveilleux, il fallait se dépêcher d'en profiter avant qu'il ne soit trop tard !

C'est ce que Mareva faisait, accompagnée par son père et son grand-père. Installés sur un banc, face à la mer, en guise d'apéritif, ils observaient le soleil fondre sur l'océan et embraser les nuages. Même si Mareva avait l'habitude, sur son île du vent, de ces spectacles fabuleux, elle appréciait toujours de l'observer d'un autre point de vue. Un léger vent rafraîchissait l'atmosphère lourde et humide. Mareva avait ramassé ses longs cheveux bruns. Avec ses yeux variant entre vert et noisette et son nez en trompette, héritage de son arrière-grand-mère, côté paternel, la jeune fille avait en permanence un air malicieux.

Les premières étoiles s'allumèrent sans qu'un mot ne soit échangé. Les trois observateurs se décidèrent à aller manger. Grand-père avait choisi un endroit très particulier pour dîner. Il savait pertinemment qu'il ferait râler son fils en faisant ce choix. Mareva le soupçonnait même de l'avoir fait exprès juste pour agacer Tom.

Le restaurant était composé de trois parties principales : un petit bar, un self et une salle sans fenêtres ornée de tables et de chaises toutes simples. Mareva remarqua une pancarte insolite au-dessus de la caisse, PAIEMENT EN OR ACCEPTÉ. Par une ouverture sur le bar, elle pouvait observer la patronne de l'établissement. Devant une fragile balance de bijoutier, la petite femme sans âge était en pleine transaction avec un homme en tenue de brousse. Grand-père chuchota à l'oreille de la jeune curieuse :

« C'est un chercheur d'or. Il paye ses dettes avec de la poudre d'or. »

Tom fit les gros yeux. Mareva connaissait bien ce regard réprobateur. Ses deux gros sourcils étaient en suspension sur son front, rapprochés, ils formaient de grosses rides sur le visage habituellement lisse de son père. Mareva préféra ne pas poser de questions pour le moment. Elle avait, pour cela, toute la semaine. De toute façon, elle avait trop faim pour perdre du temps et elle sentait la bonne odeur qui s'élevait des plats, bien au chaud le long du self.

La fin de la soirée fut courte. Mareva luttait pour ne pas s'endormir dans la voiture qui les ramenait chez

Grand-père. Pour elle, il n'y avait rien de plus terrible que de s'endormir quelques minutes et d'être réveillé pour sortir de la voiture, marcher dans la nuit, rejoindre sa chambre, se déshabiller... Tout cela avant d'avoir le droit de se rendormir. Mais c'était tout aussi douloureux de tenter de rester éveillé. Heureusement, la route ne fut pas longue. Mareva regarda les yeux mi-clos le bateau et la voiture de brousse qui l'attendaient pour le lendemain. Elle ne se souvint de rien d'autre. En posant la tête sur l'oreiller, elle dormait déjà, le sourire aux lèvres de pouvoir enfin se reposer.

Malgré le décalage horaire* qui n'était pas vraiment en sa faveur, Mareva se leva sans difficulté vers six heures, le lendemain matin. Mareva essaya bien de connaître le programme de la journée, mais Grand-Père ne lâcha aucune information. Il se contenta d'un simple « *tu verras bien* » qui exaspéra Mareva. Il savait bien que sa petite-fille était dotée d'une curiosité immense. Taquin, il aimait se moquer, gentiment, de ses proches. Il laissa donc Mareva trépigner d'impatience devant la porte de la voiture, sans répondre à ses questions. Il gardait juste un petit sourire aux lèvres. Mareva soupira et monta en voiture. Inutile d'insister davantage, Mareva savait bien que Grand-père ne dirait rien de plus.

Au bout de quelques kilomètres, la voiture quitta la belle route goudronnée pour prendre une piste pleine de trous. La poussière rouge se soulevait sous les roues et montait haut derrière le bateau que traînait le véhicule. Mareva avait en réserve une foultitude de questions, comme à son habitude :

*« Pourquoi la route est-elle toute rouge ? »*

Grand-père était toujours prêt à répondre à ce genre de question :

*« C'est de la latérite\*. En fait, cette couleur est donnée par l'oxyde de fer qui la compose. »*

Mareva souriait :

*« En gros, la route est rouillée ! »*

*« En gros… oui. »*


Il faisait chaud. Malgré les fenêtres ouvertes Mareva sentait de grosses gouttes de sueur lui couler dans le dos. Heureusement le débarcadère était tout proche.


Mareva s'empressa d'aller tremper ses pieds dans l'eau fraîche de la rivière. Elle regarda Grand-père descendre le bateau dans l'eau. Il maîtrisait parfaitement la manœuvre et de toute façon elle avait mieux à faire que de l'aider. Pour le moment, une libellule verte et bleue l'occupait entièrement. L'insecte décrivait des cercles gracieux au-dessus de la rivière, effleurant l'eau pour se désaltérer. Mareva n'avait encore jamais vu une libellule aussi grande. L'animal devait mesurer dix centimètres d'un bout de l'aile à l'autre. Ses gros yeux globuleux semblaient pouvoir déceler le moindre des gestes de la jeune observatrice. Mareva retenait même sa respiration pour ne pas faire fuir le gracieux insecte.

La voiture était garée, le bateau prêt à partir. Mareva se hissa à bord et s'installa confortablement. Le nez au vent, elle attendait de découvrir son lieu de destination. Elle avait compris qu'ils ne reviendraient pas avant plusieurs jours sur Cayenne, au vu de ce qu'ils avaient emmené, mais où ils allaient et ce qu'ils y feraient, elle n'en avait aucune idée. Pour l'instant, Mareva respirait le bon air plein des odeurs mélangées de la rivière et de la forêt.

La rivière était large, bordée par des arbres hauts et serrés les uns contre les autres. L'eau était plutôt sombre et le ciel bleu moutonnait de petits nuages tout blancs. Mareva observa un vol d'aras. Les perroquets aux longues plumes rouges et bleues étaient bruyants.

Ils semblaient discuter tous en même temps, assez fort pour s'entendre, provoquant un énorme vacarme. Les oiseaux se posèrent sur la berge tout en continuant leurs jacasseries.

Mareva avait l'habitude de vivre sous des latitudes chaudes, tout près du tropique du Capricorne\*, en Polynésie. Mareva trouvait bien des similitudes entre la Guyane et Tahiti, mais, en même temps, tout était différent, démesuré sur le continent sud-américain, la taille des arbres, les animaux. Il n'y avait pas de serpent sur son île, pas plus que de scorpion, ce qui flottait dans l'air, chez elle, était un parfum de *tiare*, de douceur. Ici, la jeune fille restait vigilante. Pas question de se laisser croquer par un crocodile ou une autre bestiole peut sympathique ! Mais Mareva n'avait pas peur. Simplement, elle n'oubliait pas les conseils de son père. Elle était ravie de ses découvertes. Ici, tout était étonnant, démesuré. Certains arbres étaient en fleurs. Ils étaient entièrement recouverts de rouge, de mauve ou de blanc.

Un arbre particulier retint l'attention de Mareva, le *wapa*. De ses branches pendaient de longues tiges sur lesquelles s'accrochaient de très nombreux haricots plats marron. Les haricots étaient longs de vingt-cinq centimètres et large de quatre. Mareva n'avait jamais vu cela.

Le bateau filait sur l'eau. Mareva trouvait agréable le vent qui fouettait son visage et ses bras. Les éclaboussures de la rivière qui sautait par-dessus bord la rafraîchissaient. Après le long trajet en voiture sous le soleil, c'était appréciable !

La végétation était présente partout, composée d'arbres pouvant atteindre quarante-cinq mètres de haut, mais aussi de petits arbres, d'arbustes, de lianes et de plantes, d'herbes de toutes sortes.

Grand-père ralentit soudain l'embarcation afin d'accoster pour quelques instants sur la berge. Le bateau était à présent immobile. Grand-père pointa son doigt vers la forêt :

« *Regarde.* »

Mareva scrutait la végétation. Elle aperçut un flash bleu qui se déplaçait rapidement. La petite lumière s'approchait d'eux. C'était un papillon !

Grand-père insista :

« *Tu vois ce papillon bleu ?* »

Oh oui, elle le voyait, on ne voyait que lui ! Il était d'un bleu métallique si brillant qu'il faisait penser à une lampe électrique ! Il devait faire plus de dix centimètres d'envergure. Grand-père continuait :

« *C'est un* Morpho melenaus. *Mais tu verras, il y a encore plein d'autres belles choses à voir.* »

La forêt amazonienne cachait beaucoup de trésors, de nombreux insectes qui vivaient en harmonie avec certaines plantes, s'échangeant même des services. Mareva s'apprêtait à découvrir en milieu naturel les plus belles orchidées existantes. Ces fleurs étaient non seulement belles, mais elles possédaient aussi un parfum merveilleux. C'était pour plaire à notre jeune Tahitienne qui aimait tant les odeurs sucrées et agréables.

Grand-père lui montrait maintenant un arbre :

« *Tu vois ce palmier ? Il peut vivre jusqu'à six cents ans. Il s'appelle* Astrocaryum sciophilum, *ça veut dire* qui aime l'ombre. »

Mareva savait que son prénom avait une signification, il désignait une chose insaisissable qui passe sans qu'il soit possible de vraiment savoir ce que c'est. Elle avait envie de rire en se disant que si c'était ce grand-père-là qui avait choisi son prénom, elle aurait pu se nommer *Astrocaryum* quelque chose, mieux valait rester dans sa langue maternelle ! Devant son sourire, Grand-père reprit :

*« Je sais que c'est un peu barbare pour toi, mais regarde les plantes qui vivent en dessous des grands arbres. Elles ont abandonné l'idée de puiser leur énergie dans la lumière du soleil. Alors, comme les champignons, elles se servent, pour vivre, de la couche d'humus\* qui couvre le sol. »*

Un craquement retentit au loin. Mareva sursauta, mais Grand-père la rassura en posant sa grande main sur son épaule. Il ajouta :

*« Ce doit être une grosse branche qui vient de tomber. Elle va pourrir et rejoindre l'humus qui fait vivre la forêt. »*

Mareva se dit que se devait être une très grosse branche ! La forêt était assez sombre. Elle était égayée de taches de couleurs, des fleurs dont la palette allait du rouge au vert en passant par le jaune. D'autres étaient blanches ou mauves. Des fougères poussaient leurs longues et larges feuilles au travers de ce décor. Nombre de plantes n'étaient pas résignées à vivre dans l'ombre de ces géants. Elles grimpaient alors sur les arbres pour monter vers le soleil. Certaines ne faisaient aucun mal à leur hôte comme les orchidées. D'autres étaient des parasites, suçant pour se nourrir la sève des arbres qui les portaient. Mareva observait un tronc différent des autres. Il était étrangement beau, composé de colonnes de bois, comme d'immenses branches qui descendaient du ciel pour se planter dans le sol. Il semblait à Mareva qu'il y avait un trou au milieu de l'arbre. Elle avait déjà vu des arbres ressemblant à celui-ci sur son île, mais elle se rendait compte qu'elle ne s'était jamais posé de questions auparavant.

Heureusement, Grand-père n'était pas avare d'explications. Il savait tant de choses sur la forêt :

*« C'est un arbre cathédrale… En fait, ce sont des racines… C'est un ficus qui a d'abord poussé sur un arbre. Puis ses racines sont descendues vers le sol en longeant le tronc de son hôte. Les racines se sont ensuite multipliées rapidement une fois le sol atteint. Elles ont ainsi recouvert le tronc de cet enchevêtrement qui progressivement s'est soudé et a grossi. L'arbre-support est alors peu à peu étranglé, ne pouvant plus faire grossir son propre tronc. Il meurt et se décompose, laissant une cheminée au cœur des racines du ficus qui devient un tronc de racines. »*

Mareva soupira :

« Ça fait peur une telle attitude ! C'est un peu un virus cette plante... C'est un peu un arbre qui se déguise en liane pour mieux tromper sa victime ! Pourtant, un ficus ça a l'air tellement inoffensif quand on les voit dans les salons, comme celui de Mamie, à Paris. »

Grand-père se mit à rire :

« Oui, mais ce n'est pas tout à fait pareil. En plus, il existe d'autres lianes qui ont le même comportement. Mais comme elles n'ont pas la force de faire un tronc solide, quand l'arbre tombe, elles tombent avec. »

« C'est malin ! »

Tout en discutant, ils étaient remontés dans le bateau pour continuer leur périple.

Mareva ne s'ennuyait pas, mais elle commençait à avoir faim. Elle soupira d'aise quand, au détour de la rivière, elle découvrit leur destination d'arrivée, un village amérindien planté au milieu de nulle part.

# Ogrifi
## Pata

Grand-père approchait tout doucement le bateau du ponton*. Un homme de la tribu des Wayanas attrapa la corde qui lui était lancée et accrocha fermement l'embarcation à un pieu de bois. À quelques mètres de là, des enfants de tous âges se baignaient dans l'eau trouble de la rivière. Ils sautaient, riaient et s'éclaboussaient avec un plaisir non dissimulé. Mareva les enviait. Elle avait hâte de rencontrer ces jeunes gens dont certains avaient son âge. Le village amérindien était installé tout au bord de l'eau. Il était composé de carbets, des petites maisons en bois recouvertes de feuilles, largement ouvertes aux vents. Les toits descendaient très bas, jusqu'à environ un mètre trente du sol. Ils vivaient au rythme de la nature, prenant le temps de chasser et de pêcher.

Grand-père aida Mareva à mettre pied à terre :

« *Voilà, nous sommes arrivés à Ogrifi Pata, ça veut dire le village d'Ogrifi.* »

Mareva se montra curieuse :

« *Et qui est Ogrifi ?* »

« *Le chaman\* du village.* Grand-père se tourna vers l'homme qui les avait accueillis : *Au fait, où est mon vieil ami ?* »

L'Amérindien sourit : « *Tu le verras ce soir, il est parti chercher des plantes pour ses mixtures.* »

Grand-père soupira :

« *Mopaï, tu devrais avoir plus de respect pour son savoir ! Qui sait, un jour, il pourrait bien te surprendre !* »

« *Mouais… En attendant, si tu veux venir m'aider à réparer le groupe électrogène\*, il est encore en panne ! Wani et Itaï aideront ta petite-fille à s'installer.* »


Aussitôt dit, aussitôt fait. Deux enfants, une fille et un garçon bondirent sur les touques. Ils guidèrent Mareva jusqu'à un carbet, juste à la sortie du village. Wani avait de beaux cheveux noirs très longs, presque aussi longs que ceux de Mareva. Itaï portait quant à lui les cheveux courts. Ils avaient les mêmes grands yeux noirs et la peau cuivrée. Mareva se sentait déjà proche d'eux. En fait, ils se ressemblaient beaucoup. Mareva était heureuse entourée de ses nouveaux amis. Même si elle était loin de sa Polynésie natale, elle se sentait un peu en famille. Wani lui sourit :

« *C'est le carbet de ton grand-père. C'est lui qui l'a construit avec l'aide des hommes du village. Mais tout le monde dit qu'il ronfle tellement fort qu'il réveille les esprits. C'est pour ça que son carbet est au bord du village.* »

Itaï s'impatientait :

« *Ma sœur est vraiment très bavarde... Allez, on va se baigner !* »

Mareva ne répondit pas. Elle avait très envie de rejoindre les autres enfants dans la rivière. Sur le chemin, elle remarqua un drôle de carbet où des femmes étaient assises sur un tronc dont le bout était passé dans un anneau tressé :

« *Que font-elles ?* »

Wani l'entraîna vers le carbet commun :

« *Viens voir, elles préparent le* couac. *C'est de la farine de manioc.* »


La racine de manioc était cultivée juste à côté du village. Après avoir été récoltée, elle était lavée, et ensuite râpée finement. Puis elle était glissée dans un grand tube de vannerie tressé, accroché à une poutre du carbet. Le tronc tirait la vannerie vers le bas. Wani s'assit sur le bout de bois avec les femmes :

*« Ce long tube tressé s'appelle une couleuvre. Le jus du manioc est très toxique. C'est un poison dangereux. Il faut l'extraire avant de consommer le reste, nommé le couac. En tirant sur la vannerie, le jus sort. Et puis, c'est l'occasion de bavarder entre femmes, assises là-dessus. »*

D'autres femmes remuaient le contenu précédent de la couleuvre sur une grande plaque métallique chauffée au feu de bois.

Wani s'approcha :

*« Il faut remuer constamment la farine de manioc pour qu'elle soit bien cuite et sèche. Pour la manger, il suffit de la réhydrater avec de l'eau et du citron ou le jus des viandes et des plats. Chaud ou froid, c'est bon… »*

*« Et là ? »* Mareva montrait un tas de feuilles qui fumait.

*« Ça, c'est pour faire boucaner le poisson et le poulet. Les viandes sont posées au-dessus de braises d'écorces de noix de coco et sous des feuilles de bananier. Comme ça, c'est très bon, et en plus ça se conserve bien mieux… Bon, allez viens, on va se baigner. »*

Mareva avait de plus en plus faim. Grand-père avait disparu et ses amis ne semblaient pas disposés à faire une pause casse-croûte. Bien sûr, il faisait chaud et une bonne baignade ne se refusait pas. Après un instant d'hésitation, Mareva décida de faire taire les grognements de son estomac pour profiter pleinement de la rivière.

L'eau n'était pas très claire. Rien à voir avec son limpide lagon. Mareva ne voulait pas l'avouer, mais elle avait un peu peur de sauter avec les autres. Elle se demandait ce qu'il y avait en dessous. Mais les autres enfants s'amusaient tant que la jeune fille finit par surmonter ses craintes. Elle nagea plus d'une heure avant de voir Grand-père réapparaître sur la berge. Ce geste de la main marquait la pause repas que Mareva attendait tant.

Le repas collectif était composé de viande fricassée, de riz, de *couac* et de haricots rouges cuits avec des queues de porc. Acidulé, moelleux, les goûts de ce repas variaient et plaisaient à Mareva qui dévora son assiette sans discuter. Cette fois, aucune hésitation !

L'après-midi, ce fut Mareva qui abandonna Grand-père qui ronflait dans son hamac, bien à l'abri dans son carbet, au frais, balancé par les alizés. La jeune fille pu constater elle-même le bruit impressionnant que produisait son grand-père au plus profond de son sommeil. Elle s'inquiéta un peu pour la nuit. Elle espérait dormir malgré le bruit de tronçonneuse de son colocataire.

Haussant les épaules, Mareva préféra rejoindre ses amis dans la rivière. Il faisait encore chaud et le soleil haut pouvait se montrer brûlant, mais le coude de la rivière était à l'ombre des grands arbres de l'Amazonie et Mareva ne craignait pas le soleil.

Le soir venu, Ogrifi rentra bien au village. Il tenait un grand sac qu'il cacha dans son carbet. Il ne voulait pas montrer ses découvertes. Seul son aide, son élève en quelque sorte, avait le droit de connaître ses secrets et le secret des plantes de la forêt. C'est lui qui décidait quand et à qui il transmettait son savoir.

Le repas du soir fut pris également en commun. Dès la dernière bouchée avalée, tous les habitants s'installèrent confortablement. Visiblement, ils attendaient quelque chose. Ogrifi se plaça au milieu d'eux et entreprit de raconter des histoires. Grand-père traduisait à voix basse pour que Mareva puisse suivre les péripéties fantastiques des guerriers wayanas aux prises avec les esprits de la forêt.

Malheureusement pour la jeune fille, épuisée, elle s'endormit.

# Une nuit
## mouvementée

Les deux dauphins nageaient vite. Ils entourèrent Mareva, la soulevant presque hors de l'eau. Il faisait nuit, mais dans le ciel une pleine lune éclairait les flots d'une lumière crue. Sous l'eau Mareva apercevait un bateau échoué. Des ombres inquiétantes tournaient autour de l'épave. Les dauphins semblaient heureux, ils insistaient pour que Mareva leur caresse la tête. Soudain, ils disparurent comme ils étaient venus.

Mareva se réveilla en sursaut, manquant de tomber de son hamac. Elle fut un peu étonnée de se retrouver dans son lit de brousse alors que son dernier souvenir était Ogrifi contant des histoires. Grand-père l'avait certainement portée jusque-là après qu'elle se soit endormie au milieu du village. La nuit était déjà avancée. Grand-père ronflait. Mareva tendait l'oreille. C'était un autre bruit qui attirait son attention, un ronronnement qui venait de la rivière.

Curieuse, Mareva enfila ses tennis et sortit prudemment du carbet, sans faire aucun bruit. Elle ne se serait pas rendormie facilement de toute façon, alors autant prendre l'air. La lune était pleine et ronde. La jeune fille s'arrêta un instant. Son rêve lui revenait en mémoire. Dans son pays, les rêves avaient beaucoup d'importance. Les dauphins pouvaient être des ancêtres, ou des messagers. Pourquoi pas les deux ? Qu'étaient-ils venus lui dire ? La lune était si ronde, comme dans son rêve, cela avait-il une importance ? Mareva n'avait aucune réponse à ses questions. Elle se concentra sur son escapade. Dans le village, le sol était parfaitement nettoyé. Aucune herbe ni rien qui traînait. La terre était nue. Comme cela, quand il fallait se lever la nuit, il était facile de repérer un animal, un serpent par exemple, et de l'éviter à la seule lumière de la lune.

Mareva approcha du ponton. Elle voyait passer des lumières, entendait des sons étouffés. Qu'est-ce qui pouvait bien se passer un peu plus en amont de la rivière ? Mareva n'arrivait pas à savoir si tout ce remue-ménage était loin ou près. La nuit et le vent emportaient les voix si bien qu'il était difficile de savoir d'où elles venaient.

Même en se concentrant, Mareva n'arriva pas à percer ce mystère. L'air frais de la nuit ajoutée à l'humidité ambiante la fit frissonner. Elle décida de retourner se coucher. Sur le chemin, un cri lugubre la fit sursauter. C'était le cri d'un jaguar qui semblait tout proche du village, juste derrière le rideau d'arbres. Il était vraiment tant de retrouver Le carbet. Les ronflements de Grand-père étaient presque rassurants à côté de ceux du jaguar. Mareva se mit à courir et bondit dans son lit suspendu. La couverture sur la tête, elle sentait son cœur battre à en sortir de sa poitrine, elle l'entendait plus fort que tout le reste. À force de ne pas bouger, elle se rendormit jusqu'au lendemain.

Le soleil, fidèle au rendez-vous, brillait dans le ciel quand Mareva s'étira. Une odeur de café flottait dans le carbet. Grand-père était déjà prêt. Il buvait doucement sa boisson favorite, un café sucré de deux pastilles d'édulcorant. La jeune fille grimaça et s'extirpa de son hamac. Elle avait gardé ses tennis. Elle espéra que Grand-père ne pose aucune question à ce sujet, elle n'avait pas envie de s'expliquer sur sa courte fugue de la nuit. Heureusement Grand-père était pressé. Il devait rejoindre Ogrifi pour disparaître avec lui dans la forêt toute la journée. Mareva n'était pas vexée de cet abandon. Elle savait quoi faire de sa journée. Elle avala deux biscuits avec un verre de lait et couru rejoindre ses amis au bord de la rivière, abandonnant Grand-père qui s'éloigna lui aussi rejoindre le chaman et un jeune Wayana.

Wani était déjà dans l'eau, à côté de sa mère qui lavait sa petite sœur, âgée de quelques mois à peine. La jeune Amérindienne assistait sa mère avec attention. Elle ne s'occupa de sa nouvelle amie qu'après la sortie de l'eau du bébé. Itaï n'arriva que plus tard, en se frottant les yeux. Il avait écouté jusqu'au bout les histoires du vieux chaman, et ce matin il n'arrivait pas à se lever. Finalement, les bruits du village finirent par le sortir du hamac. Mais, comme à son habitude, il n'était pas de très bonne humeur. Mareva avait oublié sa mésaventure de la nuit. Les trois enfants, assis sur le ponton, regardaient couler l'eau de la rivière. Un bateau passa soudain devant eux, des Amérindiens, habitants d'un village voisin, en aval de la rivière. Mareva sauta sur ses pieds, elle se souvenait enfin de quelque chose d'important. Elle raconta dans le détail ce qu'elle avait observé la nuit même. Itaï se frotta le menton :

*« Moi aussi, j'ai remarqué des choses étranges. Des bruits suspects, et des personnes bizarres sur le fleuve. Je crois qu'il faut vérifier ce qui se passe. La nuit prochaine, quand tout le monde dormira, nous irons dans la forêt pour mener notre enquête. »*

Mareva n'était pas très rassurée à l'idée de s'enfoncer dans la forêt en pleine nuit. Elle n'oubliait pas les cris du jaguar et en imaginait les crocs :

*« Et si nous nous perdons ? »*

Wani souriait :

*« C'est impossible, mon frère est le digne petit-fils d'Ogrifi. Jamais il ne se perdrait en forêt, même la nuit ! »*

*« Même les yeux fermés. »*

Cette bravade d'Itaï était censée rassurer Mareva, mais malgré cela, elle ne l'était pas vraiment. Elle comprenait qu'elle n'avait pas vraiment le choix. Ils partiraient la nuit suivante, quoi qu'il se passe. Mareva regrettait un peu d'avoir parlé de ce qu'elle avait vu. Elle constatait qu'elle avait l'art de se retrouver toujours dans ce genre de situation !

Grand-père ronflait déjà. Mareva n'avait pas sommeil. Elle comptait les minutes et les quarts d'heure. Elle attendait quelque chose. L'événement pris la forme de Wani qui glissa dans le carbet jusqu'au hamac de son amie. Mareva sauta de son lit et suivit à pas de loup son jeune guide. Près des broussailles, Itaï les attendait avec un autre jeune guerrier, Touka. Mareva reconnut le jeune homme qui avait accompagné Ogrifi et Grand-père dans la forêt.

Le petit groupe s'enfonça dans la forêt amazonienne réputée si hostile. Le jaguar de la veille ne tarda pas à se faire de nouveau entendre. Mareva sentit ses poils se dresser sur ses bras malgré la chaleur ambiante. Elle agrippa Touka :

*« On va se faire bouffer ! »*

Touka éclata de rire. Mareva le regardait sans comprendre. Sans un mot, il disparut derrière un gros arbre. La jeune fille essayait bien de l'apercevoir, mais elle ne vit que des feuilles bouger. Elle l'imaginait déjà se battant à mains nues contre une bête sauvage. Le combat ne fut pas très long. Au bout de quelques instants, Touka réapparut. Il tenait dans ses mains quelque chose qui hurlait de plus belle. Mareva ne comprenait toujours pas. Les cris du jaguar venaient bien de cette chose, mais à bien y regarder ce n'était pas un félin. C'était beaucoup plus visqueux ! Mareva recula d'un pas :

*« Un crapaud ? »*

Wina riait :

*« Oui, c'est juste un crapaud ! Il imite le cri du jaguar pour faire peur à ses prédateurs. Il les perturbe dans leur attaque pour avoir le temps de s'enfuir. »*

Mareva était penaude :

*« Oui, eh bien il est quand même très gros ce crapaud ! Et très malin aussi… Comme quoi c'est important de connaître des langues étrangères ! »*


Les quatre amis éclatèrent de rire. Le crapaud s'était tu laissant à nouveau la place aux cigales et autres bruits de la forêt. Des cris, des hululements, des « houououou » étranges résonnaient entre les arbres. Tout en marchant, Wina avait repris la conversation :

*« Tu entends ces singes ? Ce sont des* kwatas*… Heu, des singes araignées. Leur pelage est noir. Ils sont tout fins avec de grands bras et de longues jambes démesurées. C'est pour ça qu'on les surnomme comme ça. Et tu vois cet arbre ? »*

Mareva ne voyait pas grand-chose, mais elle voulait tout savoir quand même :

« *Oui oui…* »

« *Eh bien, c'est un fromager. Nous ne l'abattons jamais. C'est un arbre sacré pour nous. C'est la maison de certains esprits de la forêt. Ogrifi nous a appris beaucoup de choses…* »

« *Chut les filles !* »

Mareva avait envie de râler. Elle n'aimait pas se soumettre à une autorité quelconque, mais le ton d'Itaï ne laissait pas la place à la discussion. De toute façon, Mareva avait, elle aussi, remarqué que ce qu'ils recherchaient était juste devant eux. À quelques mètres, des lumières traversaient les arbres. Des bruits de moteurs et des cris leur parvenaient. Cette fois, plus personne n'avait envie de parler.

C'est avec d'infinies précautions que les quatre complices avançaient. Ils allaient enfin découvrir ce qui perturbait la vie de la rivière. Accroupis, ils étaient en bonne place pour observer. Derrière le rideau de végétation se cachait un paysage de désolation. Beaucoup d'arbres avaient été abattus. De grands trous perçaient le sol çà et là. Deux tentes étaient plantées un peu plus loin. Un carbet de fortune était dressé, quelques poteaux, un simple toit afin de mettre à l'abri des pluies tropicales les hamacs suspendus les uns à côté des autres. Quelques hommes étaient réunis autour d'un feu de camp, d'autres travaillaient à la lumière de gros projecteurs accrochés aux quelques arbres rescapés de ce désastre. Avec des lances à eau, des hommes attaquaient la colline, faisant glisser la terre, d'autres encore, armés de pelles et de pioches, fouillaient et déplaçaient la boue vers de grands tonneaux. L'électricité leur venait de bruyants groupes électrogènes, dont le vrombissement se mêlait à ceux des pompes et des divers compresseurs qui permettaient à l'eau d'être mise sous pression et projetée sur la colline. Le vacarme qui régnait sur le camp était assourdissant.

Touka soupira :

*« Ce sont des chercheurs d'or. Certainement un camp de clandestins\* ! »*

Mareva voulait en savoir plus :

*« Comment sais-tu qu'il s'agit de clandestins ? »*

Touka la regarda intensément :

*« Ils sont installés trop près du village. En plus, nous n'avons pas été mis au courant. En général, les gendarmes nous*

*préviennent et les chercheurs d'or viennent se présenter. Quand la barge\* de ton grand-père s'est installée près de nous, il y a quatre ans, tout s'est bien passé. En fait, c'est comme ça que nous avons fait connaissance avec lui.* »

Mareva était surprise. Elle ne savait pas que son grand-père était orpailleur. Pour elle, il était simplement un professeur de biologie à la retraite, un brillant universitaire, oui, mais un chercheur d'or... Grand-père faisait tant de choses que la jeune fille aurait dû se douter qu'elle ignorait beaucoup sur sa vie. Voilà sans doute pourquoi il connaissait ce fameux petit restaurant, à Cayenne, où les chercheurs d'or venaient payer en or et voilà également pourquoi Tom était furieux ! Que de cachotteries ! Mareva décida d'avoir, dès son retour, une grande explication avec son grand-père. Elle était bien décidée à tout savoir. Pour le moment, les quatre amis avaient d'autres problèmes. Wani soupira. Elle avait l'air en colère :

« *Regardez, en plus, ils polluent, tout retourne à la rivière !* »

Mareva porta son regard sur les grands trous dans la terre où la boue était mélangée à des produits pour le moment inconnus. Il n'y avait aucun système de récupération des produits toxiques, aucun rempart de protection entre eux et la rivière toute proche.

Itaï donna le signal du départ. Maintenant qu'ils avaient percé ce mystère, ils pouvaient retourner chez eux. Demain, Ogrifi, Grand-père et le chef du village décideraient de la conduite à tenir. Quant à Mareva et à ses amis, ils pourraient retourner se baigner dans la rivière, à moins que ce qu'ils venaient de voir les en dégoûtât pour de bon.

Mareva se releva pour suivre ses amis. Elle sentit la terre se dérober sous son pied droit. Elle perdit l'équilibre et glissa le long de la paroi. Malgré elle, elle laissa échapper un cri. La voix de la jeune Polynésienne se perdit dans le brouhaha du camp, mais de grosses pierres roulèrent jusqu'aux premiers hommes qui travaillaient encore à flan de colline. Mareva tomba jusqu'à mi-pente. L'alerte était donnée.

La barrette qui retenait attachés les cheveux de Mareva glissa et tomba vers le bas. Un des chercheurs d'or l'attrapa au vol et la broya dans son poing rageur. Trois hommes commencèrent à grimper pour rejoindre la fugitive, quatre clandestins s'enfoncèrent dans la forêt pour tenter de prendre le jeune groupe à revers. Wani s'affolait :

*« Vite, grimpe ! Attrape ma main ! Ils sont tout près ! »*

Mareva était essoufflée. Elle n'arrivait plus à pousser sur ses jambes. Elle sentit la main lourde de l'un de ses poursuivants sur son pied. Sans réfléchir, Mareva lui envoya un coup de pied pour se dégager. Atteint en pleine poitrine, l'homme roula jusqu'en bas de la côte. Furieux, il se releva et sortit un revolver. Mareva sursauta, une main ferme s'était refermée sur son avant-bras. Levant les yeux, elle se retrouva nez à nez avec Touka qui était descendu la chercher. Il la tira vers le haut avec force. Une balle siffla à leurs oreilles et

s'écrasa juste à côté du jeune guerrier. Ils avaient enfin rejoint Wina et Itaï. Touka ne relâcha pas le bras de son amie. Il l'entraîna dans la jungle. Mareva ne voyait pas où elle mettait les pieds, en fait, les cheveux dans les yeux, éblouie par les projecteurs des chercheurs d'or, elle avait de bonnes raisons de ne plus rien voir. Pour le moment, ils n'avaient pas le temps de réfléchir. Ils devaient absolument semer leurs poursuivants. C'étaient des hommes dangereux, sans foi ni loi. Hors de question de tomber dans leurs griffes.

Les garçons savaient bien que leurs adversaires n'iraient pas bien loin. Bien moins loin qu'eux en tout cas ! Touka et Mareva étaient devant, suivis de Wina, Itaï fermait la marche, poussant sa sœur pour qu'elle ne faiblisse pas. Mareva ne pouvait pas s'en apercevoir, mais le petit groupe ne prenait pas le chemin du village. Touka et Itaï s'étaient mis d'accord d'un regard. Ils feraient des détours jusqu'au petit matin pour éviter de conduire les chercheurs d'or jusqu'à leur famille.

Les garçons avaient l'impression de maîtriser la situation. Ils n'allaient pas tarder à découvrir que rien n'était aussi facile.

# L'incendie

Le calme était revenu dans la forêt. Les cigales, les singes et même les crapauds avaient repris leur territoire. Les bruits qui effrayaient Mareva quelques heures plus tôt attestaient à présent de l'absence d'intrus entre les arbres. La fatigue, les émotions avaient affaibli les jeunes gens. Touka trouva un endroit sûr pour se reposer. Assis dos-à-dos sur une grosse pierre plate, les quatre aventuriers soufflèrent un peu. Sans s'endormir vraiment, ils sommeillèrent quelques heures, juste de quoi retrouver des forces. La nuit blanchissait quand Mareva ouvrit les yeux. Derrière elle, Touka remuait. Il s'apprêtait à donner le signe du départ. Les jambes engourdies se secouèrent. La troupe se mit en route. La marche était longue et pénible, surtout pour Mareva qui n'avait pas l'habitude de conditions aussi extrêmes. Mareva souffrait. Elle avait des bleus un peu partout. La jeune fille portait un short. Ses jambes nues étaient égratignées par sa chute mais aussi par les branches et les herbes pendant leur fuite. Elle avait mal partout et chacune de ses petites blessures la brûlait. Elle ne laissait rien paraître pour ne pas ralentir le groupe.

Ils arrivèrent enfin au village. Wina se mit à pleurer.

Le spectacle qui les attendait était dramatique. Le village était complètement dévasté. Tout était sens dessus dessous, les carbets avaient été incendiés et fumaient encore. Ceux qui n'étaient pas brûlés avaient été abattus et éventrés. Tout était détruit. Itaï et Touka laissèrent les filles pour visiter les décombres. Mareva et Wina, debout au milieu du village, se serraient l'une contre l'autre pour se soutenir. Les garçons ne s'absentèrent que quelques minutes, mais ces minutes semblèrent longues et pénibles aux deux jeunes filles. Le silence, l'odeur de cendres, l'incertitude de savoir ce qu'était devenue la tribu leur déchiraient le cœur. Les garçons réapparurent, Itaï était un peu essoufflé :

*« Il n'y a personne ici, mais j'ai vu des traces qui partent au nord et d'autres à l'ouest. »*

Touka se passa la main dans les cheveux :

*« Oui, j'ai vu aussi. À l'ouest, j'ai vu les traces des hommes de la tribu, et celles des chercheurs d'or. Au nord, ce sont celles des femmes et des enfants. Nous pouvons peut-être les retrouver. Nous pouvons aussi rester ici en attendant qu'ils reviennent. »*

Mareva n'avait aucune envie de rester à attendre dans ce champ de ruines lugubre :

*« Et si ce sont les chercheurs d'or qui reviennent en premier ? »*

*« On y va ! »*

Itaï avait un fort caractère. Il prenait souvent les décisions, ce qui faisait, en général, râler sa sœur, mais à présent personne n'avait envie de discuter son ordre.


Les enfants avançaient doucement. Ils ne devaient pas perdre la piste des habitants du village qui avaient fui précipitamment dans la nuit.


Mareva était inquiète, une angoisse sourde pesait sur son estomac. Elle espérait que tout le monde allait bien. Elle avait hâte de retrouver son grand-père. Le soleil éclairait le sous-bois. Même si la forêt restait sombre, après la marche forcée en pleine nuit, l'avancée prenait des allures de balade. Si Mareva souffrait toujours elle n'y pensait pas, tant elle était inquiète.

Malgré la situation dramatique, Mareva ne put s'empêcher d'admirer un oiseau étonnant sur le chemin. Elle savait bien qu'il s'agissait d'un toucan. Elle en avait déjà vu à la télé et sur des livres, mais elle n'en avait jamais vu un en vrai, et de si près en plus ! L'oiseau portait un énorme bec noir et marron bordé de jaune. Ses plumes étaient noires, sauf sur le ventre qui

était jaune barré de rouge. Le tour de son œil était bleu. Wina, qui avait l'habitude de répondre aux questions de Mareva avant même qu'elles ne soient posées, ne dit rien. Elle ne regardait que ses pieds. Un pli soucieux barrait son jeune front. Sans doute pensait-elle à sa petite sœur et à sa mère, à l'épreuve que tous avaient subie, un peu à cause d'eux.

Au bout d'une heure et demie de marche, les quatre rescapés débouchèrent dans une petite crique très calme. Ils commençaient à êtres épuisés et affamés. Assis au bord de l'eau, ils se reposaient un peu. Une voix derrière eux les fit sursauter :

«*Vous voilà ! Nous étions morts d'inquiétude.*»

Ouf, c'était Mopaï ! Derrière lui, toute la tribu était là, ainsi que Grand-père. Mareva était soulagée. Elle était forte et courageuse, mais franchement, elle n'avait jamais vécu une aventure aussi périlleuse. Elle ravala ses larmes et trouva même la force de sourire.

Les Wayanas préparaient un repas de fortune fait de poissons et d'iguanes grillés qu'ils venaient de capturer. Mareva n'était pas très emballée à l'idée de goûter à l'un de ces gros lézards verts, mais elle n'avait pas vraiment le choix, et la faim prenait le dessus... Finalement, ce n'était pas mauvais, c'était même très bon.

Autour du feu sur lequel les poissons grillaient, les enfants s'étaient assis, fatigués. Lentement, ils expliquèrent leur mésaventure. Mareva était mal à l'aise. Elle culpabilisait :

« *Ce sont eux qui ont mis le feu au village ?* »

Grand-père était pensif. Il répondit par un « *oui* » bref.

Mareva se sentait de plus en plus mal et cette réponse un peu sèche ne la satisfaisait pas. Elle prit la main de Grand-père dans la sienne :

« *Tu crois que c'est de notre faute ?* »

Mopaï dévisagea les quatre aventuriers l'un après l'autre :

« *Il est évident que vous avez été imprudents. Si ces hommes vous avaient attrapés, nous ne vous aurions sans doute jamais revus. Ne vous tracassez pas trop quand même. Je pense que ce qui s'est passé cette nuit serait arrivé tôt ou tard. En fait, Mareva, ton grand-père m'a réveillé parce qu'il te cherchait. C'est là que j'ai vu qu'il manquait trois autres garnements. La plupart des hommes étaient levés juste avant l'attaque. C'est pour ça qu'il n'y a pas eu de victime. Alors tu vois, ma chère enfant, je crois qu'il y a une raison à toute chose. Vous nous avez peut-être permis d'échapper à un massacre. »*

Mareva était soulagée. Elle regardait son grand-père. Il tournait en rond :

*« Il faut trouver une solution pour nous sortir de là. Les clandestins ont pris tous les bateaux et coulé les pirogues qu'ils ne pouvaient pas emmener. Nous devons pourtant trouver de l'aide. »*

Itaï, Touka et Ogrifi étaient en grande discussion, à quelques mètres du foyer. Le vieux chaman semblait d'accord avec son petit-fils et son apprenti. Il posa ses vieilles mains sur la tête des garçons et se retourna lentement. C'était la première fois que Mareva le voyait sourire. Il fit encore un pas avant de s'exclamer :

*« Nous avons une solution ! »*

# La débâcle

La contre-attaque avait été précisée pendant le reste du repas. Mopaï était emballé par l'idée, même si elle comportait des risques évidents. Le reste de la journée fut consacré à la préparation du plan. Pendant que les hommes affinaient le plan de bataille, les enfants avaient pour mission de dénicher les fameux crapauds hurleurs, ceux qui avaient effrayé Mareva. La jeune fille s'était remise de ses émotions. Après une rapide sieste, elle se joignit à ses amis pour une dynamique « *chasse à la bestiole* ». Mopaï avait sur lui des sacs de toile qu'il avait distribués aux jeunes chasseurs afin d'y enfermer les batraciens. Ce n'était pas si facile de dénicher les animaux recherchés, mais la tâche se faisait dans la bonne humeur.

Sur le chemin, les enfants croisèrent la route d'une colonie de fourmis parasol. Elles devaient leur surnom aux gros morceaux de feuilles qu'elles transportaient au-dessus de leur tête. Mareva aimait les fourmis. Accroupie devant la colonne, elle les regardait passer en file indienne. Leurs petites pattes s'agitaient ; en se croisant, elles communiquaient grâce à leurs antennes, qui s'effleuraient au passage. Mareva fut tirée de sa rêverie par Touka :

« *Nos fourmis manioc te plaisent ?* »

Mareva sursauta :

« *Fourmi Manioc ?* »

Touka se mit à rire :

« *Oui, c'est comme ça qu'elle s'appelle... En tout cas chez nous...* »

« *Elles ont l'air affamées, elles emmènent beaucoup de feuilles.* »

« *En fait, elles ne mangent pas les feuilles, elles les emportent dans leur nid, dans des étages spéciaux, pour faire de l'engrais. Dessus, elles cultivent des champignons dont elles se nourrissent.* »

Décidément, Mareva avait bien raison d'aimer ces toutes petites bêtes. Elle s'arracha à sa contemplation pour rejoindre les chasseurs de crapauds.

Les berges de la crique étaient boueuses. Mareva s'approcha un peu trop près du bord. Elle glissa et se retrouva enlisée jusqu'aux genoux dans la vase. Elle ne réussit à se dégager que grâce aux efforts conjugués de Touka et de Wina qui la tirèrent par les bras. Mareva s'extirpa de sa prison gluante avec un bruit de ventouse, comme celui que ferait un lavabo qu'on débouche !

Mareva regardait ses pieds sales. Elle s'aperçut qu'il lui manquait une chaussure. Têtue, elle fouilla la vase, enfonçant ses bras jusqu'aux épaules, si bien qu'elle finit par retrouver sa tennis. À quel prix ! La jeune fille était, cette fois, recouverte de vase grise de la tête aux pieds. Les enfants étaient hilares en regardant leur amie. Mais, Mareva était généreuse. Elle était prête à tout partager, même sa saleté ! En riant, elle lança une première boule de vase qui passa juste à côté de Wina, la frôlant juste mais atteignant en plein visage un autre enfant, Tiwouti. Le jeune garnement s'essuya en riant, mais, se faisant, il récupéra une partie du projectile qui finit sur Touka. La bataille avait commencé, pas celle qui les libérerait, une bataille plus drôle et dont les conséquences étaient plus légères. Les boules de vase collante s'écrasèrent tour à tour sur une épaule, une cuisse, une tête. Quelques splatchs attestaient de glissades involontaires dans la boue.

La petite troupe n'avait pas oublié sa mission. Les crapauds étaient tenus bien enfermés dans les sacs de toile. Les enfants revenaient triomphants au camp de fortune. Les adultes regardaient, éberlués, la bande de gamins. Les parents cherchaient du regard leur rejeton, mais il était quasiment impossible de les reconnaître les uns des autres !

Pendant ce temps, Ogrifi était parti au village avec Grand-père afin de chercher dans les ruines ce dont il avait besoin. Il revint en même temps que les enfants. En voyant la troupe, il échangea un regard complice avec son vieil ami. Grand-père soupira en haussant les épaules. Il envoya les enfants se laver à la rivière, rapidement pour Touka et Itaï qui devaient accompagner Ogrifi dans la forêt. Personne n'avait le droit de les suivre. Mareva était déçue de ne pas pouvoir les observer. Personne n'avait dit qu'elle n'avait pas le droit de poser des questions ! Sa curiosité, cette fois, ne fut pas satisfaite. Grand-père accepta de répondre, mais, finalement, il ne savait pas grand-chose :

« Ogrifi se prépare à entrer en contact avec les esprits qui nous aideront à vaincre ce soir. »

« Je croyais que le plan était infaillible ! »

« Rien ne l'est vraiment, tu sais. Et puis, nous aurons besoin de toute l'aide possible. »

« Et en quoi ça consiste… »

« Les rituels du sorcier sont interdits au non-initié. J'ignore exactement ce qui se passe là-bas. J'imagine, c'est tout ce que je peux faire. »

Mareva dut se satisfaire de cette réponse. Mais comment imaginer quand on ne connaît rien à ce monde ? Sur quelles bases pouvait-elle s'appuyer pour inventer les rituels d'Ogrifi ? Sa propre culture, les livres de toutes sortes qui traînaient dans sa chambre. Elle prenait le risque d'être bien loin de la réalité, trop loin, elle ne voulait pas prendre ce risque. La jeune fille préféra rejoindre les femmes qui préparaient le repas du soir. Au moins, elles n'étaient pas avares d'explication, leurs secrets de cuisine, elles les partageaient ! Il fallait que tout le monde ait mangé avant de partir au combat.

Le soir venu, tous étaient graves et sérieux. Les parties de rigolade des jours d'avant et de l'après-midi semblaient bien loin. Les femmes restèrent sur place, bien à l'abri, avec les enfants les plus jeunes. Les plus grands, dont Mareva et ses amis, accompagnèrent les hommes. Ogrifi était en tête, suivi de Mopaï et Grand-père. La colonne avançait sans bruit. Chacun connaissait son rôle par cœur. Ils n'avaient pas besoin de parler. Mareva s'installa avec Wani en hauteur. Elles pourraient ainsi observer toute la scène sans prendre de risque. Mareva prit, cette fois, bien soin de ne pas tomber ou glisser. Le camp des chercheurs d'or était exactement comme ils l'avaient découvert la première fois. Les chercheurs d'or travaillaient, buvaient, criaient, dormaient. Le bruit avait couvert l'approche des Amérindiens. Les agresseurs de la nuit étaient loin de se douter de ce qui allait leur arriver.

Les guerriers et les jeunes entouraient maintenant le camp. Chacun était à sa place. Ogrifi, paré de son costume de cérémonie, entra en scène. Il était vêtu d'un pagne de tissu rouge. Sa poitrine et son visage étaient peints de noir et de rouge. Sur sa tête, il avait posé sa coiffe de chaman, une belle coiffe faite de plumes multicolores. Des bracelets de lianes enserraient ses bras et ses chevilles. Ses yeux brillaient d'une lueur étrange.

Il était en transe*. Ogrifi était vraiment très impressionnant, mais cela allait-il suffire à faire peur à des hommes habitués à tuer, à vivre au milieu de la nature sans la voir ni à la considérer le moins du monde ? Le chaman leva les bras et commença ses incantations. Les mercenaires clandestins étaient surpris. Certains sortaient déjà leurs armes. Le signal était donné. À ce moment précis, les crapauds furent sortis des sacs et fortement pincés par-derrière. Ils crièrent immédiatement. Le camp semblait cerné par des dizaines de jaguars. Il y avait vraiment de quoi glacer le sang du plus dur des durs. Les chercheurs d'or hésitèrent. Ils n'osèrent pas tirer immédiatement sur le vieil homme.


Ogrifi ne les voyait plus. Il était tout à ses incantations. Il faisait appel à la magie de tous ses ancêtres, de tous ces chamans qui avaient honoré, avant lui, la forêt. Il invoquait les esprits qui peuplaient les arbres et les animaux, l'air et l'eau.


Mareva laissait Wina pincer le crapaud. Enfoncer ses doigts dans la chair gluante du batracien, même en cas d'urgence, elle préférait éviter. En revanche, elle ne perdait pas une miette de ce qui se passait plus bas en contrebas. Ce qui allait suivre, elle n'y était pas préparée… En fait, personne n'y était préparé, à part, sans doute, Ogrifi lui-même.

Les arbres se penchèrent soudain, derrière le sorcier, comme au passage d'un géant invisible. Des pas se formaient sur le sol boueux. Miraculeusement, les trous creusés dans la terre par les chercheurs d'or se rebouchaient. L'esprit réveillé par Ogrifi continuait à avancer. Les braises du feu s'écrasèrent en fumant, les tentes volèrent et retombèrent comme des chiffons mous. C'était la panique parmi les chercheurs d'or. Ils couraient en tout sens, essayant d'éviter les pas invisibles du géant prêt à les écraser comme de vulgaires cafards. Ogrifi continuait sa danse. Plus personne, dans le camp, ne faisait attention à lui tant la peur s'était installée. Les chercheurs ne pensaient plus qu'à une chose, se sauver.

Wani n'en revenait pas. Elle non plus n'avait jamais vu un tel spectacle. Même si Ogrifi était son grand-père, elle ne soupçonnait pas qu'il possédait autant de pouvoir. Elle se jura de ne jamais oublier ces instants et de les raconter à sa descendance. Jamais plus elle ne verrait sa forêt de la même manière. Elle l'aimait déjà, mais maintenant, elle savait que cette nature vivante était belle, et bien vivante.

Un bateau s'éloignait. Mareva savait qu'à son bord Grand-père et Mopaï filaient directement en direction de la gendarmerie fluviale. Le plan d'Itaï, Touka et Ogrifi était un succès. Mareva soupira, un peu rassurée.

Touka vint chercher les filles. À présent, ils pouvaient retourner au village. Même s'il ne restait plus grand-chose là-bas, ils y seraient en sécurité. Itaï était parti rejoindre les femmes du village afin de leur donner le résultat de leur attaque et de les prier de rejoindre le village. Ils tiendraient facilement jusqu'au lendemain dans cet espace sécurisé malgré ce qui s'y était passé.

À l'aube, les gendarmes débarquèrent sur le site des orpailleurs. Épuisés, apeurés, désorientés, les chercheurs d'or préférèrent se rendre plutôt que de rester là. Ils ne savaient pas trop ce qui leur était arrivé et ils ne voulaient pas en savoir plus. Ils voulaient fuir par n'importe quel moyen. Le comble, ils recherchaient la protection des gendarmes, même si cela signifiait à terme l'expulsion.

Ogrifi avait disparu. Il avait besoin de repos et de solitude avant de revenir parmi les siens. Personne ne savait combien de temps il allait rester dans la forêt, seul, pas même le vieux chaman lui-même. Mopaï s'inquiétait, il aurait voulu être sûr que son père allait bien, mais c'était impossible. Il devait attendre, comme les autres.

Grand-père avait récupéré son bateau et la plupart de ses affaires. Tout se terminait au mieux. Ils avaient eu beaucoup de chance. En attendant le retour d'Ogrifi, l'heure était à la reconstruction. Il restait à Mareva trois jours à passer avec ses amis, elle allait participer au grand ménage du village. Les gendarmes restèrent pour aider à rebâtir les carbets. Tout se faisait dans la joie. Il fallait abattre des arbres pour remplacer ce qui avait été brûlé ou irrémédiablement détruit. Ce qui était récupérable était entreposé au centre du village. Les lieux de vie en commun et le four avaient été les premiers à être remis debout. Les carbets périphériques suivirent ensuite. Mopaï avait échangé son vieux groupe électrogène contre celui des chercheurs d'or et quelques matériaux utiles à tous. C'était une façon légitime de compenser les pertes dues au pillage du village. Ce qui restait dans le camp clandestin avait été détruit pas les gendarmes afin de ne pas attirer de nouveaux chercheurs d'or. Leur camp avait été rendu définitivement inexploitable.

Mareva n'avait rien oublié. Elle trouva un moment seule avec son grand-père pour lui poser quelques questions sur son passé de chercheur d'or. Grand-père sourit :

*« Ce n'est pas vraiment du passé ! Bon, viens, je vais te montrer… »*

# Mareva
## chercheuse d'or

Mareva était très excitée. Elle allait découvrir un volet de la vie de son grand-père que peu de personnes connaissaient. En plus, elle allait même pouvoir partager cette autre face de ce grand homme.

Il était très tôt. Le village sommeillait encore. Grand-père préparait un sac contenant un pique-nique. Ils ne reviendraient qu'au soir, juste avant la tombée de la nuit. Touka avait demandé l'autorisation de les accompagner. Grand-père avait souri en guise de réponse, il s'attendait visiblement à cette requête et le repas pour trois personnes, préparé par ses soins, l'attestait. Mareva était ravie que le jeune guerrier veuille les accompagner, mais plutôt affronter une nouvelle fois les chercheurs d'or que de l'avouer !

À quelques bras d'eau du village, une barge était installée. C'était une sorte de bateau à fond plat, équipé d'un moteur et d'une pompe. Le fond de la rivière était aspiré puis ensuite recraché sur une grande table recouverte d'une moquette spéciale. Les cailloux et la vase étaient rejetés à l'autre bout alors que l'or restait prisonnier du fait de son poids plus lourd. Il ne restait plus ensuite qu'à laver cette moquette dans un seau pour récupérer l'or.

Mareva avait du mal à entendre toutes les explications de son grand-père. Le plongeur était au fond de la rivière. La pompe qui lui fournissait de l'oxygène et celle qui remontait l'eau sur la table fonctionnaient en même temps. Le bruit était assourdissant. Dans un hamac accroché en travers de l'embarcation, au-dessus de la table, un homme dormait. Mareva se demandait bien comment il faisait pour y arriver. Elle avait hâte de descendre de la barge. Elle en avait assez vu et le bruit lui devenait de plus en plus insupportable. En fin d'après-midi, les orpailleurs laveraient la moquette. Ils pourraient être présents. En attendant, Grand-père proposa une visite du reste de sa concession*, juste à côté d'une agréable petite crique*, sur la terre ferme.

Mareva n'était pas au bout de ses surprises. Grand-père sorti trois batées, des cônes de métal, comme des chapeaux chinois. Il les avait remplies de sable et glissées dans l'eau :

*« Regarde, l'or est très dense. À volume égal, il est plus lourd que le sable et les cailloux. Il faut laver le contenu de la batée en faisant des mouvements concentriques. L'or doit tomber au fond et le sable doit retourner dans la rivière. »*

Tout en parlant, Grand-père avait vidé la batée en la tournant dans l'eau. Il ne restait plus, au fond, qu'une poussière noire parsemée de points brillants. C'était de l'or !

Mareva avait hâte d'essayer. Elle attrapa fermement sa batée et la plongea dans l'eau fraîche. Malheureusement, la jeune fille s'aperçut vite que ce n'était pas si facile de piéger les petits grains d'or. Au fond du chapeau chinois, il n'y avait rien. À côté d'elle, Touka avait l'air plus doué. Il fit un clin d'œil à son amie :

*« Ton grand-père m'a appris à chercher de l'or. C'est pour ça que j'y arrive. Mais tu verras, avec un peu d'entraînement, tu réussiras. »*

Mareva lui sourit, mais elle ne put s'empêcher de ressentir une pointe de jalousie. Elle s'apercevait que ce jeune homme connaissait mieux son grand-père qu'elle-même. Elle allait bientôt s'apercevoir que ces deux-là se connaissaient encore mieux qu'elle le pensait. Elle s'en voulait aussi d'avoir cru que Touka avait souhaité les accompagner pour être avec elle. Elle comprenait que c'était surtout pour être avec Grand-père ! À moins que… Cependant, elle appréciait l'attitude de Touka, il était modeste et d'une grande gentillesse. Grand-père les avait abandonnés. Il préparait le repas :

*« Il est l'heure de manger, les enfants, vous aurez toute l'après-midi pour chercher de l'or. »*

Mareva reconnaissait le poisson boucané à température ambiante, le *couac* sec et les haricots rouges bien chauds. En entrée, Grand-père avait découpé le cœur d'un jeune palmier qu'ils mangèrent en salade. Au dessert, Mareva apprécia tout particulièrement le *chadec*, elle connaissait ce gros pamplemousse rose et sucré, gros comme un ballon, pour en avoir mangé une fois chez sa grand-mère. La peau de ce fruit était très épaisse et pouvait être confite. Il restait aussi des mangues, un peu fibreuses, de l'ananas et des *bacoves*

– de toutes petites bananes très parfumées – qui serviraient au goûter.

Après le déjeuner, Grand-père s'allongea sur le sable. Il glissa son chapeau de brousse sur ses yeux tout en bâillant :

*« Je vais faire une petite sieste. Alors, si vous voulez, vous pouvez vous amuser avec les batées. La terre a été retournée là-bas derrière. Vous pouvez aller en chercher. Touka, j'ai confiance en toi, prends soin de Mareva... Je sais qu'elle ne craint rien avec toi. »*

Sitôt dit, il se mit à ronfler. Involontairement, Touka bomba le torse. Il était fier de la mission qui lui était confiée. Il attrapa deux batées :

*« Viens, on va aller prendre de la terre à laver. »*

Mareva lui emboîta le pas. Touka marchait lentement. Il semblait chercher quelque chose. Il posa les batées au pied d'un arbre. Les racines étaient magnifiques, elles sortaient de terre comme des jambes couvertes d'un drapé soyeux. Le tronc montait haut vers le ciel, se perdant dans le toit végétal que tissait la forêt. Touka regardait son amie admirer l'arbre :

*« Les arbres épaississent leur tronc à la base. Ces contreforts servent à lui assurer de la stabilité pendant qu'il grimpe vers le soleil. »*

*« Un peu comme des orteils ? »*

*« Tes comparaisons me surprendront toujours… mais c'est bien ça. Ce n'était pas ce que je voulais te montrer. Regarde… »*

Touka s'était agenouillé devant un petit trou tapissé d'une fine toile blanche. Avec un petit morceau de bois, il fouillait doucement le trou. Touka prenait son temps. Soudain, bondissant, l'animal sortit. Touka se releva tranquillement.

Mareva sentit ses cheveux se dresser sur sa tête. Les poils noirs de l'animal brillaient au soleil. Une araignée était dressée sur ses huit pattes, prête à se défendre. Mareva n'aimait pas franchement les araignées, et les mygales de dix centimètres de diamètre encore moins ! Mareva n'osait pas bouger et à peine respirer. Touka était surpris de la réaction de son amie. La jeune fille avait normalement une peau hâlée, comme un pain d'épice. Elle était à présent pâle comme un fantôme. D'un geste, Touka fit fuir la mygale :

« Excuse-moi. Je suis désolé... Je ne voulais pas te faire peur. »

Mareva reprenait son souffle et ses couleurs :

« Ne t'inquiète pas ! Je sais que tu voulais juste me faire découvrir la faune de ta région. J'ai été surprise, c'est tout. Je ne savais pas que les mygales vivaient dans des terriers. »

« Certaines, oui... Mais les araignées sont fascinantes. Il en existe même une race qui vit en colonies. Elles sont petites, alors elles se mettent ensemble pour recouvrir tout un buisson de leur toile et chasser des proies plus grosses qu'elles, comme ça. »

« Ça doit être impressionnant à voir ! »

« Heu... Eh bien il y a une colonie juste derrière toi. Mais ne crains rien, tu es bien trop grande pour elles ! »

Mareva se retourna d'un bond. Elle ne vit rien derrière elle. Touka ne pouvait s'empêcher de rire :

« Excuse-moi encore, mais tu aurais vu ta tête ! »

Mareva lui tira la langue, l'air faussement vexée.

Il ajouta :

« *Mais ce que je raconte est vrai. Il s'agit d'araignées sociales. Elles vivent ensemble. Elles ne forment pas une société bien organisée comme les fourmis, chaque membre de la colonie est indépendant, mais comme cela, elles peuvent couvrir de très grandes surfaces. Viens voir…* »

Touka entraîna Mareva un peu plus loin dans la forêt. À quelques pas d'eux, ce que la jeune fille découvrait était hallucinant. Une toile fine et blanche couvrait deux arbres entiers et tous les buissons aux alentours. De multiples petites araignées orange couraient en tout sens. Jamais Mareva n'aurait pu imaginer une telle chose. Elle allait de découvertes en découvertes. Ce pays était sauvage, puissant et étonnant. Elle comprenait ce que voulait dire son père. Si elle ne voulait pas être digérée par la forêt comme un globule blanc avale un virus, elle devait rester à sa place.

Touka était tout heureux de montrer toutes les merveilles de l'Amazonie à son amie. Elle avait pardonné l'épisode de la mygale. Elle le raconterait dans son carnet de voyage, bien sûr, et cela restera un bon souvenir. Ils reprirent leur route pour atteindre une clairière dégagée et ensoleillée. La terre avait été retournée en gros tas. Il s'agissait d'un ancien *placer* vieux de plus de cent ans. La végétation avait du mal à reconquérir l'endroit. Des lianes glissaient sur le sol, de petits arbres apparaissaient çà et là, le reste de la terre restait nu. Touka observait les tas de terre. Il prenait son temps pour choisir avec soin la terre qui devait remplir les batées. Il se décida enfin, faisant le tour du seul grand arbre qui restait dans la clairière. Il remplit les batées dans le fond d'un trou. Avant de repartir, il se mit à scruter le ciel. Enfin, il tendit son index vers le haut :

« *Regarde !* »


Mareva n'eut pas beaucoup à chercher pour apercevoir l'objet montré par son ami. Une fusée Ariane venait de décoller du centre spatial guyanais, à Kourou. Elle s'élevait dans le ciel, grimpant vers les strates les plus hautes de l'atmosphère, laissant derrière elle un panache de fumée blanche. Mareva assista à la division de la fusée. Les boosters retombèrent vers la mer tandis que le reste continuait à monter. Les oiseaux, dans la forêt, s'envolèrent soudain. Un grondement se fit entendre, d'abord doucement, puis plus fort. Le son[*], plus lent, leur parvenait enfin. Ce grondement sourd, c'était le bruit des moteurs de la fusée, leur poussée gigantesque au décollage, le grondement féroce d'une technologie avancée qui se mêlait à la nature la plus profonde de la terre. La fusée n'était plus qu'un petit point, un souvenir de plus dans le voyage fantastique de Mareva. Touka ne bougeait toujours pas. Il attendait quelque chose, en silence. Son invitée fit de même. Avait-elle appris la patience ? Elle n'eut pas à attendre longtemps, le troisième phénomène lié au lancement d'une fusée arriva sous la forme d'un tremblement. La vibration du décollage s'était propagée à travers la terre et passait maintenant sous leurs pieds. Mareva en avait le souffle coupé. Elle était heureuse d'avoir pu vivre ce moment particulier en pleine forêt.

Le retour à la crique se fit sans détour. Les batées étaient lourdes. Touka n'avait pas l'air de peiner, mais Mareva ne sentait plus ses bras. Par fierté, elle ne dit rien. Elle ne voulait pas montrer que c'était une charge plus difficile pour elle. Arrivée à la crique, elle souffla un peu. Touka souriait. Il ne fit aucune remarque, cependant il avait bien compris les difficultés de son amie. Il avait déjà plongé sa batée dans l'eau qui se troubla immédiatement. Mareva l'imita, s'appliquant de son mieux. Les résultats n'étaient pas au rendez-vous pour la jeune fille. La batée était désespérément vide. Touka mit discrètement ses trouvailles de côté.

Il n'était décidément pas du genre à se mettre en avant. Il attendait que Mareva réussisse enfin à trouver quelque chose. Il se releva :

*« Je retourne en chercher, tu veux venir avec moi ? »*

Mareva soupira :

*« Non merci, je vais en prendre ici en attendant de bien comprendre comment ça marche. C'est inutile de gâcher la terre du site. Même s'il y avait une grosse pépite, je suis sûre que je la remettrais à l'eau sans même la voir. »*

Touka répondit par un haussement d'épaules, il trouvait que son amie était un peu dure avec elle-même. Il s'éloigna d'un pas sûr pendant que Mareva remplissait sa batée avec un peu de terre de la berge.

# Une importante
## découverte

Mareva s'entraînait sans relâche, batée après batée. Au cinquième essai, elle hurla de joie. De gros points d'or apparaissaient enfin au fond. Elle préféra mettre son maigre butin dans le flacon de Touka, plutôt que de les mettre à part. Touka était revenu avec une petite montagne de terre entre les mains. Il avait de la peine à avancer. Les muscles de ses bras tremblaient pour ne pas lâcher prise. Il déposa la batée dans l'eau et soupira. Doucement, il commença à se débarrasser de la terre en surplus.

Grand-père était réveillé. Il réchauffait son café sans plus s'occuper des jeunes gens. Touka l'appela, le tirant de son activité favorite, déguster un café brûlant tout en écoutant les bruits de la forêt. Le jeune homme avait fait une découverte étonnante. Il lavait méticuleusement quelque chose dans la rivière. Mareva était attentive. Touka mesurait ses gestes pour ne pas laisser échapper son trésor dans le courant.

C'était une pépite d'or ! Elle était grosse comme un demi-pouce. Sa surface était irrégulière, mais sa forme générale était assez jolie. Grand-père lui passa la main dans les cheveux :

« *Bravo fiston. Tu es vraiment très doué.* »

Touka se retourna vers Mareva, qui lui souriait :

« *Tiens, je te l'offre…* »

Mareva était un peu gênée :

« *Non, je ne peux pas… C'est toi qui l'as trouvée, c'est juste que tu la gardes !* »

« *Non, moi je pourrai en trouver une autre. Et puis comme ça, tu garderas un souvenir de ton voyage en Guyane… Tu ne m'oublieras pas trop vite…* »

Mareva se sentit rougir jusqu'aux oreilles. Elle accepta et le remercia gentiment. Grand-père était retourné près du réchaud :

« *Tu la feras monter en pendentif. Nous nous en occuperons dès notre retour à Cayenne.* »

Grand-père n'eut pas le temps de boire son café. Une pirogue déboucha rapidement dans la crique. Il s'agissait des chercheurs d'or qui travaillaient sur la barge de Grand-père. Ils étaient visiblement excités. Eux aussi avaient fait une grande découverte, et il ne s'agissait pas d'or cette fois-ci.

Dans la pirogue, les orpailleurs avaient entreposé des objets très anciens et encore recouverts de vase. Grand-père était penché sur la découverte. Ses yeux s'illuminèrent. Il murmurait : « *Ce n'est pas possible… C'est fascinant…* »

Sans aucune explication, il prit une caisse dans son bateau et entreposa délicatement les objets, quatre poteries entières et un autre, encore indéterminé. Un sixième objet était cassé. Une discussion s'engagea entre les orpailleurs et Grand-père, en brésilien. Touka, à voix basse, traduisit pour Mareva :

« *Ton grand-père veut savoir pourquoi cette poterie est cassée. Ils disent que c'est le plongeur qui l'a cassée, par superstition ; ton grand-père dit que ça porte malheur de les casser, de l'expliquer au plongeur et de le rassurer ; Ogrifi lui enlèvera le mauvais œil, pour cette fois ; qu'il fasse attention à l'avenir...* »

Mareva se mit à rire doucement, il était malin Grand-père !

Il n'était plus question d'assister au lavage de la moquette. Grand-père voulait retourner au plus vite au village.

Au-dessus d'eux, le ciel s'était subitement couvert. La pluie commençait à tomber. Touka et Mareva avaient eu juste le temps de rassembler les affaires et de sauter dans le bateau de Grand-père avant qu'il ne mette le moteur en route. Il filait à vive allure vers le village. La pluie tombait en grosses gouttes. D'habitude si douce, l'eau devenait dure et froide avec la vitesse. Chaque goutte était comme une petite aiguille qui frappait la peau de Mareva. Elle commençait à avoir très froid. Heureusement, ils arrivaient. Touka accrocha le bateau pendant que Grand-père emmenait les poteries dans le carbet commun. Mareva courut se mettre à l'abri.

Grand-père était en grande conversation avec Mopaï, Ogrifi et un gendarme resté au village. Réchauffée et séchée, Mareva s'approcha. Sa curiosité naturelle reprenait le dessus. Elle voulait savoir de quoi les quatre hommes discutaient. Grand-père expliquait :

*« Ces poteries sont très anciennes. Elles étaient enfoncées assez profondément dans la vase. Il faut que nous arrivions à les dater précisément. »*

Mopaï regardait les dessins qui apparaissaient encore sur l'un des vases :

*« Oui, mais aussi d'où elles viennent. Ces dessins ne sont pas de notre tribu… Et je ne sais pas d'où ils peuvent provenir… Ogrifi, qu'en penses-tu ? »*

Le chaman avait saisi le petit objet couvert de vase. Il l'avait plongé dans un seau d'eau. Il le frottait délicatement. Touka arriva dans le carbet. Sous ses yeux, un petit jaguar se dessinait de mieux en mieux. Les peintures qui le décoraient étaient encore visibles. Sur son dos, il avait un trou rond bordé d'un bourrelet de terre cuite. Le petit animal était tout simple et si beau qu'il était difficile de le quitter des yeux. Mareva posa tout haut la question à laquelle tous pensaient :

« Qu'est-ce que c'est ? »

Ogrifi prenait son temps pour répondre :

« C'est un sifflet à dieux. C'est un objet sacré. Je ne sais pas à quelle tribu il appartient. Peut-être un voyageur qui aurait perdu ces objets sur la rivière… »

Mareva reprit :

« Ou un commerçant ? »

Grand-père effleurait le jaguar du bout des doigts :

« C'est une idée intéressante. Il faut étudier toutes les possibilités. Dès notre retour à Cayenne, je remettrai tous ces objets au professeur Damias. Il a dirigé quelques recherches sur la région. Il pourra nous aider. »

Le gendarme s'approcha à son tour :

« Je vais noter votre découverte et nous surveillerons la zone pour la protéger. »


La cause était entendue. Ogrifi et Grand-père finirent de nettoyer les poteries et les emballèrent délicatement. Posée au fond du carbet commun où Grand-père et Mareva dormaient, la caisse attendait le départ.


C'était la dernière nuit de Mareva au village amérindien. Cette fois, elle réussit à rester éveillée pour

écouter les histoires d'Ogrifi. Surtout que le vieux chaman avait la gentillesse de raconter, pour ce soir, son
conte en français. Assise entre Touka et Wina, notre
aventurière se passionna pour les aventures de ce
jeune guerrier qui affrontait les esprits pour devenir
un homme. Il se battait avec des êtres invisibles dont
les buts étaient mauvais. Ils devaient lui faire peur.
Dans un dernier effort, il joua une merveilleuse mélo-
die. Il fermait les yeux pour se concentrer. Il réussit
ainsi à prendre le dessus sur sa peur et à retrouver son
calme. Un bon esprit de la forêt sortit enfin d'un animal pour le protéger. Quand il retourna dans son
village, il était devenu un adulte aux yeux de ses pères.
Son destin était désormais lié à celui de son sauveur,
un crapaud.

Bien sûr, Mareva aurait préféré un animal plus impo-
sant, mais elle se souvenait de la manière dont ils
avaient effrayé les chercheurs d'or. Ogrifi leur rappe-
lait habilement que l'équilibre de l'Amazonie était
fragile. Aucun de ses habitants n'avait plus d'importance qu'un autre. Chacun avait sa place et son utilité.

Mareva et Grand-père quittèrent leurs amis le lendemain. Le village avait presque retrouvé son aspect

antérieur. Ils étaient un peu fatigués, mais heureux du dénouement de leurs aventures. Il était temps de retourner à Cayenne pour retrouver Tom et remettre les antiquités au professeur Damias.

Mareva eut du mal à quitter Wina, Itaï et Touka. Elle gardait précieusement la pépite qu'il lui avait offerte. Touka s'était montré mystérieux :

*« Avant que tu ne repartes pour ton île, nous nous reverrons. J'ai un cadeau spécial pour toi. »*

Mareva avait protesté. Il lui avait déjà tant offert, et elle ne parlait pas que de l'or trouvé la veille, l'aventure qu'elle avait vécue, les découvertes… Tout cela était fantastique.

Après quelques embrassades, Mareva grimpa dans le bateau. Elle quittait la rivière, mais son voyage en Guyane n'était pas tout à fait terminé.

# La **tortue** sacrée

Le départ pour la rivière avait paru très long à Mareva, mais le retour semblait très rapide. Le voyage en bateau, la piste, la route… quelques heures à peine la séparaient du village amérindien ; cependant, la jeune fille avait l'impression d'avoir séjourné dans un autre monde, une autre époque.

Tom les attendait dans la maison de Grand-père, là où il avait grandi. Mareva n'eut pas vraiment l'occasion de discuter avec son père. Il était fasciné par la découverte des poteries, oubliant un peu sa fille. Mareva n'était pas vexée. Elle savait qu'elle aurait du temps plus tard avec ce père si distrait. Elle profita de ce moment de liberté pour monopoliser la salle de bains. Elle regarda couler l'eau chaude dans la baignoire. La mousse apparaissait, augmentait. Elle se glissa dans son bain et s'endormit même quelques minutes.

Propre, délassée, Mareva retrouva ses pères pour le repas du soir.

Pendant le repas Tom se montra curieux :

*« Alors, qu'avez-vous fait de beau cette semaine ? »*

Grand-père échangea un regard complice avec sa petite-fille. Il répondit :

*« Oh, rien de particulier… Tu sais ce que c'est la vie sur la rivière… »*

Papa soupira :

*« Oui, je connais… La routine quoi… J'espère que tu ne t'es pas trop ennuyée ma pauvre chérie ! »*

Mareva s'étrangla :

*« Non non… Vraiment pas ! »*

Tom se retourna vers Grand-père :

*« Alors, comment va Touka ? »*

*« Très bien… »*

Mareva était surprise :

*« Tu le connais ? Tu connais Touka ? »*

*« Oui, bien sûr ! Il est l'un des élèves d'Ogrifi pendant les vacances scolaires. Le reste du temps, il est en pension à Cayenne pour poursuivre ses études. C'est un excellent élève. Il veut devenir biologiste, mais en préservant les traditions amérindiennes. Il sera un lien important entre deux civilisations. La science avec le respect de l'environnement, avoue que c'est plutôt rare. Je crois qu'il a un grand avenir devant lui. »*

Mareva restait songeuse. Touka n'avait rien dit de ses ambitions, par discrétion sans doute. La jeune fille ne s'était pas posé la question de savoir si Touka et ses amis allaient à l'école. Elle se disait qu'elle avait échappé à l'humiliation de dire de grosses bêtises. Elle avait eu de la chance.

Le reste du voyage de Mareva, c'était Tom qui l'avait organisé. Accompagnés par Grand-père, ils s'apprêtaient à partir en direction des plages des Hattes, lieu de ponte des tortues luth, au nord du département.

Ces énormes tortues marines sortaient de l'eau une fois par an afin de pondre leurs œufs dans le sable blond de la plage. Tom avaient prévu de rejoindre un groupe de scientifiques qui baguaient les individus encore non répertoriés et vérifiaient les balises des autres. Quelques prélèvements permettraient de suivre l'évolution de cette espèce protégée.

La route était longue, vraiment longue cette fois-ci. La petite équipe ne se mit en route qu'après le déjeuner. À l'arrivée, le soleil se couchait. Un cadeau attendait Mareva. Un groupe d'ibis rouges glissaient sur l'horizon dans un vol majestueux. Les grands oiseaux au long bec fin et pointu passèrent dans le ciel, coupant la route du soleil qui fondait dans l'océan. C'était la plus belle image que Mareva avait vue depuis son arrivée en Guyane, une image d'exception qu'elle n'avait pas l'intention d'oublier. Le soleil, écrasé de fatigue, laissa sa place aux étoiles.

Cette nuit, pas question de dormir. Ce n'était tout simplement pas prévu. Tom avait retrouvé les autres scientifiques facilement. Ils étaient deux, portant quelques équipements permettant de lire les puces des animaux équipés les années précédentes. Ils devaient avoir une quarantaine d'années l'un et l'autre. Les cheveux au vent, le jean élimé, Mareva reconnaissait bien là les collègues de son père, habitués aux conditions de terrain.

Une première tortue s'échoua sur la plage. Laissant les scientifiques à leur travail, Mareva se contenta d'observer la grosse tortue se hisser sur la plage, parcourir les quelques mètres qui lui permettraient de creuser son nid au sec. La tortue avançait lentement. Le poids de ces animaux variait entre 250 et 1 000 kilos pour une longueur d'environ deux mètres. Mareva comprenait leur difficulté, elle souffrait avec elles, les accompagnant dans leur épreuve. Dans le faisceau de lumière de la lampe torche, la jeune fille regardait la tortue creuser le sol avec ses pattes arrière, puis pondre ses œufs chauds et mous. Ils étaient gros comme une balle de ping-pong. La tortue rebouchait ensuite le trou avec le sable qu'elle avait extrait. Elle tournait longuement sur elle-même afin d'effacer toute trace de son passage. Une à deux heures après son arrivée, la tortue repartait dans l'océan Atlantique, disparaissant tout à fait.

Mareva savait qu'un bébé tortue venant d'éclore faisait la taille d'une main ouverte. Difficile de croire alors que cette toute petite chose fragile allait devenir ce mastodonte gigantesque !

Mareva put toucher du bout du doigt la carapace de l'animal. Elle s'aperçut qu'elle n'était pas constituée d'écailles, mais recouverte d'une peau douce au toucher, une peau gris-bleu mouchetée de blanc. De grosses larmes gélatineuses coulaient des yeux de la tortue. Elle ne pleurait pas, elle se protégeait ainsi du sable et éliminait l'excès de sel avalé en mer.

Les tortues sortaient de l'eau, toujours plus nombreuses. Avec effroi Mareva s'aperçut vite que certaines tortues creusaient exactement à l'endroit où d'autres avaient déjà déposé leurs œufs, écrasant cette progéniture toute chaude. C'était la loi de la nature. Cependant, l'espèce étant en danger, des éco-volontaires récupéraient ces œufs avant qu'ils ne soient écrasés. Ils les remettraient à l'écloserie qui veillerait sur les bébés jusqu'à leur grand départ vers l'océan. L'autre mission de ces bénévoles d'un nouveau genre était la protection des nids contre les braconniers qui revendaient les œufs volés au marché noir.

Mareva avait rejoint Grand-père auprès d'une tortue. Tom lui prélevait un peu de sang pour une analyse. L'attention de la jeune fille fut attirée par des lumières qui scintillaient au bout de la plage. Elle donna un coup de coude à son grand-père :

« *Tu as vu, là-bas, c'est bizarre, qu'est-ce que c'est ?* »

Grand-père leva la tête. Plissant le front, il scrutait la plage. Il murmura en direction de sa petite-fille :

« *Ah non… Pas cette fois ! Nous avons eu assez de problèmes comme ça ! Tu ne crois pas ?* »

Mareva souriait. Elle savait bien que Grand-père céderait bientôt. Les lumières se rapprochaient rapidement. Il fallait qu'il se décide vite s'il voulait agir.


Tom leva lui aussi le nez. Il venait de terminer son prélèvement. Il se mit à faire de grands gestes :

« *Super, c'est Gilles et Laurence ! Ce sont des élèves de l'université. Je les ai invités à nous rejoindre. J'espère que ça ne vous dérange pas ?* »

Grand-père soupira :

« *Non, pas du tout. C'est même une très bonne idée.* » Il ajouta pour Mareva : « *Eh bien nous l'avons échappé belle.* »


Les jours s'étaient écoulés si rapidement en Guyane que Mareva avait l'impression d'avoir rêvé ses aventures. Son père et elle repartaient dans quelques heures. L'aéroport était calme, malgré l'heure de l'embarquement qui approchait. Grand-père les avait accompagnés. Il était assis devant un jus de fruit. Il scrutait la foule. Soudain, il se leva. À l'autre bout de la vaste salle, Touka était arrivé, accompagné par un homme. Mareva sentit son cœur battre un peu plus fort. Le jeune Wayana avait tenu parole. Il était venu lui dire au revoir. L'homme qui l'accompagnait était le père de sa famille d'accueil. C'est ainsi qu'il pouvait continuer ses études sur Cayenne.

Touka lui tendit une enveloppe :

*« Attends d'avoir décollé pour l'ouvrir… Comme ça tu auras l'esprit occupé pendant quelques minutes ! »*

L'heure des adieux avait sonné. Quelques embrassades, quelques soupirs, Mareva se retrouva enfin dans l'avion.

Les nuages retrouvaient leurs volumes. Mareva pouvait rêver qu'elle flottait dans les cieux, jouant avec eux. Elle regarda la petite enveloppe. Elle attendait pour l'ouvrir. Combien de temps allait-elle tenir ? Elle testait sa patience, sa force de caractère, sa résistance… Tom se pencha vers elle :

*« Bon, ouvre-la, qu'on en finisse ! Le repas arrive bientôt, il faudra la ranger. »*

Alors là, si elle y était forcée, elle n'avait plus aucune raison d'attendre pour découvrir ce que contenait le présent de Touka.

Mareva décacheta délicatement l'enveloppe. À l'intérieur, une petite pierre blanche en forme de cœur, entourée d'un peu de coton pour la protéger. Le cadeau était accompagné d'un petit mot :

*« Avec cette pierre d'acoupa*, je suis sûr que nous nous reverrons un jour. Je garde l'autre dans cette finalité. »

Mareva ne comprenait pas. Le mystère s'épaississait. Tom prit la pierre entre ses doigts. Il sourit :

*« Une pierre d'acoupa ? Ça alors, voilà un présent plein de sens… Ces pierres vont toujours par deux. Deux cœurs blancs installés dans la tête de certains poissons de cette variété, l'acoupa. Les deux pierres sont face à face. La légende dit que ces pierres sont toujours réunies, elles s'attirent, où qu'elles*

*soient. Alors, ta pierre cherchera à rejoindre celle de Touka...*
*Un jour ou l'autre... vous vous reverrez...»*

Mareva ne disait rien. Tom soupira. Il tira sur sa chaîne, la faisant sortir de son tee-shirt. Au bout des maillons dorés, une petite pierre d'*acoupa* était suspendue, montée comme un pendentif :

*«L'autre, c'est ta mère qui la porte.»*

Ce cadeau avait permis à Mareva de pénétrer dans les secrets de son père. La magie de la Guyane agissait encore après son départ. Elle ferma la main sur sa pierre. Elle savait que la vie lui préparait encore bien des surprises.

# Glossaire

*barge* : bateau à fond plat portant, dans le cas d'une barge aurifère, des pompes et une table pour traiter le fond de la rivière et récupérer l'or.

*chaman* : guérisseur et représentant religieux, il est le lien entre le monde des esprits, des morts et le monde des vivants dans certaines sociétés. Le chaman maîtrise la pharmacopée basée sur les plantes.

*clandestin* : personne étant entrée sans autorisation (en cachette) dans le pays.

*concession* : contrat par lequel l'administration autorise une personne privée à occuper un terrain appartenant à l'État, dans ce cas.

*crique* : petite anse sur le littoral ou le long de la rivière.

*débarcadère* : quai ou jetée sur la mer ou un fleuve permettant le débarquement des personnes et des marchandises.

*décalage horaire* : la terre est divisée en 24 fuseaux horaires. Le point o est à Greenwich, en Angleterre. Lors d'un déplacement sur la terre, vers l'est, le voyageur avance d'heure en heure et lorsqu'il va vers l'ouest, il recule dans le temps. Ainsi, quand Mareva se lève à 6 h du matin à Cayenne, il est 11 heures du soir (la veille) à Papeete, lieu de résidence habituel de la jeune fille et 11 h du matin (du même jour qu'à Cayenne) à Paris.

*équateur* : ligne entourant la terre, perpendiculaire à la ligne des pôles et à égale distance de ceux-ci.

*groupe électrogène* : génératrice d'énergie qui permet d'obtenir de l'électricité.

*humus* : matière présente dans le sol, résultant de la décomposition partielle par les micro-organismes, de déchets végétaux et animaux.

*latérite* : sol rougeâtre de la zone intertropicale humide riche en hydroxyde de fer et en alumine.

ONG : organisation non gouvernementale ; il s'agit d'un organisme dont le financement est assuré essentiellement par des dons privés et dont les activités touchent essentiellement à l'humanitaire, dans des domaines différents, comme l'assistance médicale, l'apport de technique dans les pays non industrialisés, secours en cas de catastrophe, aides aux populations victimes des guerres, soutien de populations démunies dans les pays développés…

*ponton* : plateforme flottante servant de débarcadère.

*touque* : récipient, initialement de fer-blanc, aujourd'hui en plastique, fermant hermétiquement, permettant le transport des matériels et de divers produits en les gardant bien au sec.

*tropique du Capricorne* : les tropiques sont les deux lignes parallèles au globe terrestre et encadrant l'équateur, le long desquelles le soleil passe au zénith (degré le plus élevé, apogée) à chacun des solstices (époque de l'année où le soleil, par son positionnement, correspond à une durée maximale ou minimale des jours). Le tropique passant dans l'hémisphère Nord est le tropique du Cancer et celui passant dans l'hémisphère Sud est le tropique du Capricorne. La zone délimitée par les deux tropiques est nommée zone intertropicale.

*transe* : état d'exaltation de quelqu'un qui est transporté hors de lui-même et du monde réél. État modifié de conscience dans lequel entrent les médiums et chamans quand ils communiquent avec les esprits.

*son (vitese du)* : la vitesse de la lumière est en effet supérieure à la vitesse du son. L'image nous parvient avant le bruit, même s'ils sont partis en même temps.

Éditions Au vent des îles - BP 5670 - 98716 Pirae - Tahiti - Polynésie française
3615ELECTRE code éditeur : 2-909790 / 2-915654
**mail@auventdesiles.pf — www.auventdesiles.pf**

Imprimé en Chine par Printplus Limited
Photocomposition : Scoop Tahiti
1re édition
Dépôt légal 4e trimestre 2009
ISBN : 978-2-9156-5466-0
© Au vent des îles 2009